Te adoro

Te adoro

Lisa McCourt

Ilustrado por

Laura J. Bryant

SCHOLASTIC INC.

New York   Toronto   London   Auckland
Sydney   Mexico City   New Delhi   Hong Kong

A mis amores y a la fabulosa Isabella Dispoto,

con todo mi amor.

— L.M.

A Nicole, Joe y Cy.

— L.B.

Adoro tus abrazos de oso
y los besos amorosos
y los corazones rojos
que pintas para mí.

Adoro tu risa fresca
que me llena de alegría,
y con tal de oírla,
hago muecas todo el día.

Adoro el olor que tienes
después de un baño largo
de agua calentita,
jabón y estropajo.

Adoro las preguntas que me haces,
tantas y tantas preguntas
que leer un solo cuento
nos toma toda la tarde.

Adoro cómo cambias de parecer.
Hoy no quieres comer brócoli,
pero mañana te va a encantar.
Luego volverás a dejarlo y,
más tarde, solo brócoli comerás.

Adoro tu valentía y entusiasmo.
Siempre que te caes y te raspas,
basta un beso y una curita
para que te vuelvas a levantar.

Adoro el abruncho que inventamos,
que es algo entre un abrazo y un arruncho,
solo que más rico y calentito.
No hay abrunchos mejores que los tuyos.

Adoro las canciones que cantas
y los cuentos que cuentas.
Pero más que nada, adoro
cuando los mezclas o los inventas.

Adoro cuando estás en paz.
Tu cuerpecito huele rico
y tu lindo corazón
late perfectamente junto al mío.

Adoro cada cosa que hacemos
y atesoro los recuerdos
de cada uno de los días
que disfrutamos de nuestro amor.

Adoro tus cosquillas,
tus tumbos y sonrisas.
Adoro todo lo que has sido
y en lo que te convertirás.

Parece increíble que pueda adorarte más,
pero con cada día que pasa
la felicidad que siento
crece y crece sin parar.

Te adoro más que al Sol
y más que a la Luna
y a las miles y miles de estrellas.
Gracias por ser la personita que eres.